KVARTA ▣

PRAHA

Miroslav KROB &jr.

Lektoroval ing. Evžen Veselý

Photography
© Miroslav Krob, Miroslav Krob jr. 1993
Text
© Miroslav Krob 1993
KVARTA, Praha 2000
ISBN 80-86326-16-0

PRAHA

Vážení návštěvníci,
    přicházíte do Prahy, města s tisíciletou historií, položeného v centru Čech na řece Vltavě. Již od středověku patřilo mezi nejkrásnější města v Evropě.
Po dlouhých letech izolace Praha opět otevřela svou náruč návštěvníkům z celého světa. Je vyhledávána, obdivována a zahrnována chválou. Jak pro svou krásu, množství uměleckých a architektonických památek, tak pro svou dávnou a bohatou minulost. Po dlouhé věky bývala sídlem knížat, králů i císařů a důležitou metropolí v samém srdci Evropy.
Co doslova uchvacuje turisty hlavně ze zámoří, je skutečnost, že památky, které se v Praze zachovaly, zde stály daleko dříve, než Kolumbova Santa Maria zakotvila roku 1492 u břehů Ameriky. Vždyť Praha měla již od roku 1348 nejstarší středoevropskou univerzitu, založenou panovníkem Karlem IV., v roce 1357 začal Petr Parléř se stavbou kamenného mostu, který nahradil zřícený starší most románský. Věž Staroměstské radnice byla postavena do roku 1364 a kolem roku 1410 do ní byl vestavěn astronomický orloj. Chod apoštolů spolu s pohyby dalších figur orloje stále budí zaslouženou pozornost svou ojedinělostí. Ve výčtu pražských pozoruhodností bychom mohli dlouho pokračovat.
Mnohé známé památky jsou ještě daleko starší. Tak Pražský hrad, dominující levému břehu Vltavy, vznikl již v 9. století, druhý hrad, Vyšehrad na břehu pravém, byl založen asi v 10. století. Význam Vyšehradu dosáhl vrcholu za vlády prvního českého krále Vratislava I., který sem přenesl své panovnické sídlo. Později význam hradu pozvolna upadal, nový rozkvět zaznamenal ve 14. století za Karla IV.

Z četných románských staveb se zachovaly rotundy sv. Martina na Vyšehradě, sv. Longina a sv. Kříže, bazilika sv. Jiří na Pražském hradě a několik desítek kamenných románských domů na Starém Městě pod dnešní zástavbou. Velkého stavebního a kulturního rozkvětu doznala Praha v období gotiky, kdy byla rozšířena o Nové Město a řadu významných sakrálních staveb.

Do krásy odělo Prahu baroko. V siluetě města se objevují nové stavby chrámů, věží a paláců, Karlův most je obohacen o celou galerii plastik z dílen předních umělců, zachovanou do dnešních dnů.

Praha je trvalým zdrojem inspirace spisovatelů, básníků, hudebníků, malířů a v neposlední řadě i fotografů. I my se k tomuto tématu stále vracíme. Tentokrát jsme připravili drobnou knížku 145 fotografií, která má být pro Vás vzpomínkou na pražský pobyt a má připomenout místa, která jste zde navštívili.

Věříme, že tak jako mnoho jiných návštěvníků i Vy se do naší „stověžaté" metropole vrátíte. Budete srdečně vítáni a Praha se Vám znovu odmění svou krásou.

Miroslav KROB

PRAG

Liebe Gäste,

Sie kommen nach Prag, nach einer mitten in Böhmen am silbernen Fluß Moldau gelegenen Stadt mit tausendjähriger Geschichte.

Nach langen Jahren Isolierung öffnet Prag von neuem seine Arme für Besucher aus aller Welt. Es wird begehrt, bewundert und gepriesen. Und dies sowohl wegen seiner steinernen Schönheit und der unzähligen künstlerischen und Baudenkmäler, als auch wegen seiner großen und abwechslungsreichen Vergangenheit. Für lange Jahrhunderte pflegte es, Sitz der Fürsten, Könige und Kaiser zu sein, und als eine wichtige Metropole im Herzen Europas gewann es allgemeine Hochachtung und Liebe.

Was die Besucher, vor allem jene aus der Übersee, wirklich fesselt, mag die Tatsache sein, daß es die Denkmäler, die in Prag erhalten geblieben sind, bereits zu Zeiten gegeben hatte, als die Santa Maria des Ch. Kolumbus 1492 an den Ufern Amerikas festmachte. Prag besaß ja seit 1348 die älteste mitteleuropäische Universität, gegründet von Karl IV. Im Jahre 1357 begann Peter Parler mit dem Bau der steinernen Brücke, die die Stelle einer eingestürzten romanischen Brücke einnahm. Der Turm des Altstädter Rathauses wurde 1364 fertiggestellt, 1410 wurde dann die astronomische Uhr eingebaut. Die zwölf Apostel sowie die anderen Figuren der astronomischen Uhr ziehen immer noch große Aufmerksamkeit auf sich und beeindrucken durch ihre Einmaligkeit. Und diese Aufzählung könnte noch lange fortgesetzt werden.

Viele berühmte Sehenswürdigkeiten in Prag sind sogar noch viel älter. So entstand beispielsweise die Prager Burg, die das linke Moldauufer beherrscht, bereits im 9. Jahrhundert, die zweite Burg, Vyšehrad, auf dem gegenüberliegenden Ufer wurde etwa im 10. Jahrhundert gegründet. Die Bedeutung von Vyšehrad erreichte während der Regierungszeit des ersten böhmischen Königs Vratislav I. ihren Höhepunkt, der seinen Herrschersitz hierher brachte. Später verlor diese zweite Prager Burg allmählich an Bedeutung, bis sie während der Regierungszeit Karls IV. im 14. Jahrhundert zur neuen Blüte gelangte.

Von zahlreichen romanischen Bauwerken blieben Rotunden des hl. Martin, des. Hl. Kreuzes und des hl. Longinus sowie die Georgsbasilika auf der Prager Burg erhalten. Zu ihnen gessellen sich mehrere romanische Steinhäuser in der Prager Altstadt. Einen gewaltigen kulturellen und baulichen Aufschwung erlebte Prag in der Zeit der Gotik. Damals wurde es um die Prager Neustadt erweitert und um eine ganze Reihe kirchlicher Bauwerke bereichert.

In die Schönheit kleidete sich Prag in der Barockzeit. In der Stadtsilhouette erschienen neue Kirchen, neue Türme und Paläste, die Karlsbrücke wurde um eine ganze Galerie von Statuen reicher, die aus den Werkstätten führender Künstler in Böhmen stammten.

Prag ist ständige Inspirationsquelle für Schriftsteller, Dichter, Musiker, Maler und last but not least für Fotografen. Auch wir kehren zu dem großen Thema Prag immer wieder zurück. Diesmal bereiteten wir für Sie ein schlichtes Büchlein mit 145 Fotos, die für Sie Ihre Eindrücke festhalten sollen und die Ihnen Orte und Erlebnisse, die Sie in Prag hatten, wieder in Erinnerung bringen werden.

Wir glauben, daß auch Sie, wie so viele Gäste vor Ihnen, in unsere hunderttürmige goldene Metropole zurückkehren werden. Seien Sie uns herzlich willkommen! Prag wird Sie erneut mit seiner Anmut belohnen.

Miroslav KROB

PRAGUE

Dear Visitors,

You have come to Prague situated in the centre of Bohemia on the River Vltava. The history of Prague stretches back a thousand years, back to the Middle Ages when this city was already rated as one of the most beautiful in Europe. After long years of isolation Prague is once again open to visitors from all over the world. For the rich beauty of its stonework, for the wealth of its artistic collections and architectural monuments, Prague is rightly sought after, admired and praised. For ages it was the Royal Seat to many princes, kings and emperors, as well as an important metropolis in the heart of Europe.

The major fascination for overseas tourists is the fact that already well-preserved architectural monuments were in evidence here long before Columbus' Santa Maria first touched the shores of America in 1492. Prague already boasted the oldest University in Central Europe, founded by Charles 4th. in 1348. In 1357 Petr Paléř began the construction of the now famous Charles Bridge in stone to replace the collapsed older Roman style version. The tower of the Staroměstská Radnice (Old Town Townhall) was completed in 1364, and the Astronomical Clock was installed in 1410. The movement of the Apostles together with other mobile figures of the clock is still fascinating today by its very rarity. And we could continue listing Prague's remarkable monuments, some of which date back from an even earlier period. For example Prague Castle, the dominant feature of the left bank of the Vltava, was founded as early as the 9th. Century. The second castle, Vyšehrad, on the right bank was founded in the 10th. Century.

The importance of Vyšehrad reached its peak during the reign of the first Czech king — Vratislav 1st. who transferred his Royal Seat there. From thence Vyšehrad began slowly to decline in importance until in the 14th Century fortunes were reversed and it flourished again during the reign of Charles IV.

Many of the numerous Roman style buildings are still well preserved as for example: the Rotundas of St. Martin at Vyšehrad, of St. Longin and of St. Kříž. Then the Basilica of St. Jiří at Prague Castle. There are the foundations and remains of stone Roman buildings to be found, preserved, beneath the more recent structures of the Staré Město, whose architecture and culture achieved the height of its importance during the Gothic period when the new part of Prague — Nové Město — was founded together with many important buildings.

The great beauty of this city crystalised during the Baroque period. The silhouette of Prague now finds itself suddenly incorporating new buildings of churches, towers and palaces. Charles Bridge was given a whole gallery of statues originating from the workshops of great artists whose work we can admire to this day.

Prague is a lasting source of inspiration to writers, poets musicians, painters and more recently to photographers. We will return to this theme again and again. This time we present you with a book of 145 photographs which should serve as a reminder to you of your stay in Prague and of the places you visited there. We believe, that as for so many other visitors before you, you too will be amongst those who will come back to our "metropolis of a hundred Golden Towers". You will be welcomed, and Prague will reward you again with its beauty.

Mıroslav KROB

PRAGUE

Chers visiteurs,

vous arrivez à Prague, ville jouissant d'une tradition millénaire et située au centre de la Bohême sur la rivière Vltava qui se rangeait déjà depuis le Moyen âge parmi les plus belles villes d'Europe.

Après de nombreuses années d'isolement Prague a ouvert de nouveau ses bras aux visiteurs venant du monde entier. Elle est recherchée, admirée et comblée de louanges. Tant à cause de la beauté de ses constructions en pierre et du grand nombre de monuments artistiques et d'ouvrages architectoniques que de son histoire ancienne et riche. Pendant de nombreaux siècles elle fut la résidence de princes, rois et empereurs et une métropole importante située au cœur de l'Europe.

Ce qui enthousiasme particulièrement surtout les visiteurs venant des pays d'outre-mer est le fait que les monuments historiques qui se sont conservés jusqu'à nos jours à Prague s'y trouvaient déjà longtemps avant l'arrivée de la Santa Maria de Christoph Colomb aux côtes de l'Amérique en 1492. En effet Prague avait déjà depuis l'année 1348 l'université la plus ancienne en Europe centrale, fondée par l'empereur Charles IV et l'architecte Petr Parléř commença à construire en 1357 le pont Charles en pierre qui remplaça l'ancien pont roman délabré. La construction de la tour de l'Hôtel de ville de la Vieille Ville fut terminée en 1364 et vers l'année 1410 on y installa une horloge astronomique. La circulation des apôtres et les mouvements d'autres figures de cette horloge suscitent continuellement par leur originalité l'admiration des visiteurs. On pourrait poursuivre encore longtemps l'énumération des curiosités pouvant être recontrées à Prague. De nombreux monuments historiques sont même bien plus anciens. Le Château de Prague dominant la rive gauche de la Vltava fut construit déjà au IXe siècle et Vyšehrad, situé sur la rive gauche de la rivière fut fondé au Xe siècle. Vyšehrad connut son apogée sous le règne du premier roi de Bohême, Vratislav Ier, qui y transféra sa résidence. Son importance diminua au fil des années, mais il connut un nouvel essor au XIVe siècle sous le règne de Charles IV.

Parmi les nombreuses constructions romanes qui se sont conservées jusqu'à nos jours figurent la rotonde Saint-Martin située à Vyšehrad, les rotondes Saint-Longin et de la Sainte-Croix, la basilique Saint-Georges au Château de Prague et plusieurs dizaines de palais romans en pierre se trouvant dans la Vieille Ville au-dessous des constructions plus modernes. Prague connut un essor architectonique et culturel particulier à l'époque du style gothique où elle fut complétée par la Nouvelle Ville et enrichie par toute une série de contructions religieuses.

La beauté de Prague fut encore rehaussée à l'époque du style baroque. Dans la silhouette de la vile apparurent alors de nouvelles églises, des tours et des palais et le pont Charles fut encore embelli par de nombreuses sculptures créées par des sculpteurs éminents et conservées jusqu'à nos jours.

Prague est une source d'inspiration permanente des écrivains, poètes, musiciens, peintres et non en dernier lieu des photographes. Nous revenons aussi continuellement à ce thème et nous vous présentons un petit livre avec 145 photographies qui doit vous rappeler votre séjour à Prague et les endroits que vous avez visités.

Nous sommes persuadés que vous reviendrez, comme beaucoup d'autres dans notre métropole « aux cent tours ».

Vous y serez accueillis cordialement et Prague vous récompensera de nouveau par son charme.

Miroslav KROB

PRAGA

Egregi visitatori,

giungete a Praga, città con tradizioni millenarie, situata al centro della Boemia, sul fiume Moldava. Sin dal medioevo essa figura tra le città più belle d'Europa.

Dopo lunghi anni di isolamento, Praga ha riaperto le proprie braccia ai visitatori che giungono dal mondo intero. È ricercata, ammirata e coperta di lode, per la sua bellezza di pietra, per la quantità dei suoi monumenti artistici ed architettonici, ma anche per il suo antico e ricco passato. Per lunghi secoli essa era sede di principi, re ed imperatori, nonché metropoli importante situata al centro d'Europa.

Quello che letteralmente attira i turisti d'oltre oceano è il fatto che i monumenti conservatisi a Praga, qui erano prima che la Santa Maria di Colombo avesse approdato nel 1492 alle rive d'America. Infatti, Praga dal 1348 aveva già la sua università, più vecchia dell'Europa Centrale, fondata dal sovrano Carlo IV: nel 1357 l'architetto Petr Parléř aveva iniziato la costruzione del ponte di pietra che doveva sostituire il ponte romanico precedente, crollato. La torre del Municipio della Città Vecchia fu costruita entro l'anno 1364 e attorno al 1410 in essa fu inserito l'orologio astronomico. Il passaggio degli Apostoli mentre nel contempo si muovono altre figure dell'orologio, continua sempre a suscitare l'attenzione meritata, proprio a causa della sua rarità. Nell'elencare le memorie di Praga potremmo proseguire per lungo tempo.

Molti altri noti cimeli sono molto più antichi. Così si tratta del Castello di Praga, che domina alla riva sinistra della Moldava, risalente già al IX secolo, l'altro castello chiamato Vyšehrad, che si trova sulla riva destra, costruito all'incirca nel X secolo. L'importanza di Vyšehrad raggiunse l'apice durante il regno del primo re della Boemia, Vratislao I, il quale aveva trasferito qui la propria sede del sovrano. Man mano però l'importanza del castello andava diminuendo, la sua nuova prosperità fu registrata nel secolo XIV, ai tempi di Carlo IV.

Tra le numerose costruzioni romaniche si conservano le rotonde di San Martino a Vyšehrad, San Longino e Santa Croce, la basilica di San Giorgio al Castello di Praga ed alcune decine di edifici romanici in pietra della Città Vecchia, che si trovano sotto i palazzi attuali. Una grande prosperità edilizia e culturale Praga la raggiunse nel periodo del periodo gotico, quando fu allargata di Città Nuova e di importanti costruzioni sacrali. Anche il barocco diede a Praga la sua bellezza. Nella silueta della città appaiono costruzioni nuove, chiese, torri e palazzi, il Ponte Carlo è arricchito di tutta una galleria di statue, provenienti dalle botteghe di principali artisti, galleria conservatasi fino ai giorni nostri.

Praga è la sorgente duratura di ispirazione per gli scrittori, i poeti, i musicisti, i pittori, e, non in ultima, di fotografi. Anche noi torniamo a questo tema ripetutamente. Questa volta abbiamo preparato un opuscolo minuto di 145 fotografie, che dovrebbero essere per Voi un ricordo del soggiorno a Praga, rievocare i luoghi che avete visitato.

Crediamo, che — come tanti altri visitatori — anche Voi tornerete nella nostra metropoli di «cento torri». Sarete cordialmente accolti e Praga Vi ricompenserà nuovamente con la propria bellezza.

Miroslav KROB

PRAGA

Estimado visitante:

Ha llegado a Praga, ciudad con una historia milenaria, situada en el centro de Bohemia, sobre el río Moldava, que ya en la época medieval, era considerada una de las ciudades más bellas de Europa.

Tras lagos años de aislamiento, Praga vuelve a abrir sus puertas para acoger a turistas de todos los rincones del mundo. Escogida entre otros lugares, la admiran y la colman de elogios, por la belleza de su arquitectura, sus edificios en piedra, sus monumentos artísticos y su larga y rica historia. Durante siglos fue residencia de príncipes, reyes y emperadores y también una importante metrópoli en el corazón de Europa.

Los turistas, ante todo los de allende el mar, quedan encandilados al comprobar que los monumentos que se conservan en Praga, fueron construidos mucho antes de que la Santa María de Colón arribara a las costas de América en 1492. Habría que destacar que a partir del año 1348 Praga fue la sede de la más antigua universidad de Europa Central, fundada por el rey Carlos IV y que el arquitecto Petr Parléř inició en el año 1357 la construcción del puente de piedra que vino a sustituir el antiguo puente románico en ruinas. En 1364 de erigió la torre de la Municipalidad de la Ciudad Vieja y hacia el año 1410 se le incorporó el reloj astronómico. La originalidad del desfile de los apóstoles, así como los movimientos del resto de las figuras que decoran el reloj, despiertan merecida admiración. De esta manera podríamos seguir enumerando durante mucho tiempo los puntos de mayor interés de la capital.

Muchos de los monumentos famosos datan de tiempos aún anteriores. Concretamente el Castillo de Praga que domina la orilla izquierda del río Moldava, se empezó a construir en el siglo IX. El segundo castillo Vyšehrad, en la orilla derecha, fue fundado hacia el siglo X. La relevancia de este segundo alcanzó su apogeo bajo el reinado del primer soberano checo Vratislav I, quien trasladó allí su corte. La fama de Vyšehrad fue decayendo posteriormente y sólo en el siglo XIV, bajo el reinado de Carlos IV, recuperó de nuevo su importancia.

De los muchos monumentos románicos conservados nombraremos las rotondas de San Martín en Vyšehrad, la de San Longino y la de la Santa Cruz, la basílica de San Jorge en el Castillo de Praga, así como varias casas de estilo románico en la Ciudad Vieja, ocultas debajo de edificaciones posteriores. Fue en el período gótico cuando Praga vivió su gran auge arquitectónico y cultural. Por aquel entonces se construyó la Ciudad Nueva y toda una serie de importantes edificios eclesiásticos.

El período barroco decoró primorosamente la silueta de la ciudad. En Praga se iniciaron nuevas obras, se edificaron iglesias, torres y palacios. El puente de Carlos fue decorado como una auténtica galería escultórica, obra de los talleres de destacados artistas plásticos, que se ha conservado hasta nuestros días.

Praga es una fuente de inspiración permanente para escritores, poetas, músicos, pintores y desde luego fotógrafos. También nosotros volvemos reiteradamente a este tema. En esta ocasión hemos preparado un pequeño libro con 145 fotografías que le hará recordar su estancia en Praga y los lugares que Ud. visitó.

Esperamos que igual que otros muchos visitantes, también Ud. vuelva a "la ciudad de las cien torres", a Praga, donde siempre será bien recibido y la ciudad le premiará con toda su belleza.

Miroslav KROB

8

9

14

PRAGA·CAPVT·REGNI

15

21

22

24

25

38

39

41

42

43

49

55

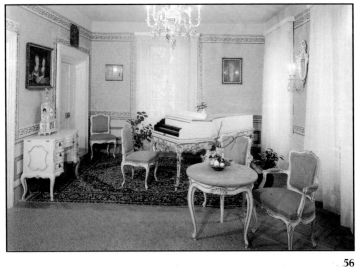

56

57

58

61

62

64

65

74

75

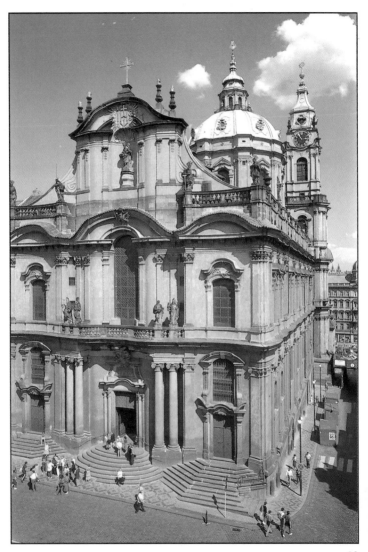

89

90

97

98

104

105

113

114

120

121

122

123

125

126

128

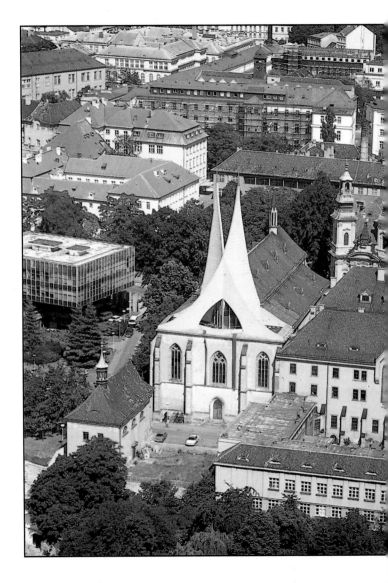

134

135

140

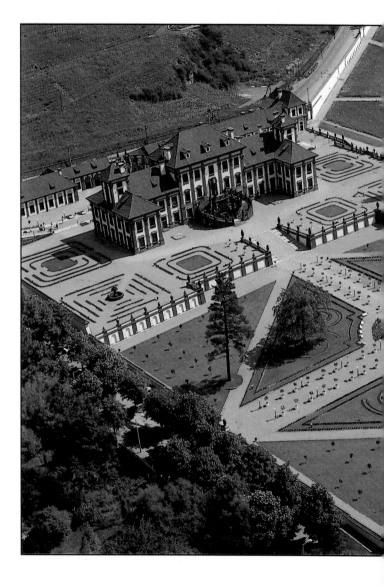

TEXTY K FOTOGRAFIÍM:

1. Karlův most, Pražský hrad a katedrála sv. Víta. Most je pojmenován podle svého zakladatele Karla IV. Sochami osazen v l. 1683-1714 /titul/
2. Sféra — hlavní část orloje.
3. Pohled z věže Staroměstské radnice na Staré Město a Hrad.
4. Staroměstská radnice je komplex budov, který vznikal již před polovinou 14. století. Věž byla postavena do roku 1364, kolem 1410 vestavěn orloj.
5. Plastický znak Starého Města nad portálem domu č. 6 na Staroměstském náměstí.
6. Štorchův dům na Staroměstském náměstí z r. 1897. Figurální malby podle kartónů M. Alše provedl L. Novák.
7. Staroměstské náměstí s kostelem P. Marie před Týnem budovaným od r. 1380. Před ním Týnská škola s gotickým podloubím.
8. Kostel sv. Mikuláše na Starém Městě z l. 1732—35 podle projektu K. I. Dienzenhofera.
9. Domy na jižní straně Staroměstského náměstí.
10. Kostel sv. Mikuláše na Starém Městě, místo varhanních koncertů.
11. Rokokový palác Golz-Kinských z l. 1755—1765 a gotický dům U kamenného zvonu z poloviny 14. stol.
12. Staroměstská radnice s orlojem.
13. Vestibul Staroměstské radnice — M. Aleš: Hold Slovanstva městu Praze.
14. Dům U minuty — gotický dům zdobený renesančními sgrafity z počátku 17. stol.
15. Renesanční okno Staroměstské radnice s nápisem Praga caput regni.
16. Kalendářní deska orloje je kopií originálu J. Mánesa z r. 1866.
17—18. Apoštolové z orloje sv. Filip a sv. Petr.
19. Staroměstské náměstí (letecký pohled).
20. Staroměstská radnice s torzem východního průčelí po požáru v r. 1945.
21—22. Pohled z věže Staroměstské radnice.

23. Arkýřová kaple pod věží Staroměstské radnice z doby před r. 1381.

24. Pomník mistra Jana Husa od sochaře L. Šalouna z r. 1915.

25. Kočáry na Staroměstském náměstí.

26—27. Staroměstské náměstí z věže Týnského chrámu.

28—29. Kostel sv. Jakuba založený spolu s klášterem Václavem I. r. 1232.

30. Barokní knihovna v Klementinu z r. 1727.

31. Secesní stavba Obecního domu s bohatou malířskou a sochařskou výzdobou z l. 1906—11.

32—33. Prašná brána vybudovaná M. Rejskem po r. 1475. Výhled z věže na Staré Město a jeho dominanty.

34—35. Ulice Na příkopě a Václavské náměstí jsou nejživějším centrem města.

36—37. Horní část Václavského náměstí uzavírá Národní muzeum. Před ním jezdecká socha sv. Václava od J. V. Myslbeka z l. 1912—13.

38—40. Národní muzeum — novorenesanční stavba z l. 1885—90 s malířskou a sochařskou výzdobou především českých umělců. Reprezentativní schodiště a Pantheon tvoří nejpůsobivější prostory stavby.

41—42. Palác Koruna v dolní části Václavského náměstí z l. 1911—13. Pohled z rampy Národního muzea.

43. Socha spisovatele J. Jungmanna na stejnojmenném náměstí z r. 1878.

44. Chrám P. Marie Sněžné je nejvyšší chrámová stavba Prahy. Raně barokní oltář je z l. 1649—61.

45. Kostel sv. Jiljí z l. 1339—71.

46. Gotický arkýř kaple Karolina.

47. Stavovské divadlo postavené v l. 1781—83 nákladem hraběte F. A. Nostice.

48. Betlémská kaple nově vybudovaná v l. 1950—54 podle starých zobrazení a částí původního zdiva. V l. 1402—12 zde kázal Jan Hus.

49. Dům U zlaté studně — renesanční stavba se štukovými reliéfy ochránců před morem z r. 1701.

50—52. Starý židovský hřbitov z 1. pol. 15. stol. a Staronová synagóga z 13. stol. patří k vzácným památkám bývalého pražského ghetta.

53. Bysta Franze Kafky od K. Hladíka na domě, kde se tento spisovatel židovského původu narodil r. 1883.
54. Socha B. Smetany od J. Malejovského z r. 1984 před muzeem tohoto hudebního skladatele.
55. Vila Amerika z l. 1712—20. Dnes muzeum hudebního skladatele Antonína Dvořáka.
56. Bertramka, známá pražskými pobyty W. A. Mozarta. R. 1787 zde složil operu Don Giovanni.
57—58. Dům umělců (Rudolfinum) z l. 1876—84. Je sídlem České filharmonie. Dvořákova síň patří k významným pražským koncertním sálům.
59. Také Bertramka i její zahrada je místem koncertů vážné hudby.
60—62. Vltavské mosty, Smetanovo nábřeží, noční Praha.
63. Vltavské nábřeží s Národním divadlem a Hradem.
64. Slovanský ostrov s budovou Mánesa a Masarykovo nábřeží.
65—66. Národní divadlo postavené z dobrovolných sbírek pod heslem „Národ sobě" v l. 1868—83 J. Zítkem a J. Schulzem.
67. Pohled z Malostranské mostecké věže na chrám sv. Mikuláše a Hrad.
68. Letecký pohled na Vltavu a Karlův most.
69. Karlův most je pojmenován podle svého zakladatele Karla IV. Bylo to v r. 1357 a stavbou byl pověřen Petr Parléř. Sochami byl most osazen převážně v l. 1683—1714.
70. Kostel sv. Františka Serafinského a pomník Karla IV.
71—72. Staroměstská mostecká věž a detail výzdoby s postavami panovníků Karla IV., Václava IV. a patrona mostu sv. Víta.
73. Socha sv. Filipa Benicia z Karlova mostu.
74—76. Karlův most a Hrad, detail sousoší Kalvárie z Karlova mostu a pohled z Malostranské mostecké věže.
77. Panoráma Hradu, Malé Strany a Karlova mostu ze Staroměstské mostecké věže.
78—79. Východ slunce nad Starým Městem.
80. Karlův most a katedrála sv. Víta při slavnostním osvětlení.
81. Podvečer na Vltavě.
82. Hrad a Malá Strana z Vrtbovské zahrady.
83—84. V l. 1704—11 budoval malostranský chrám sv. Mikuláše K. Dienzenhofer, kopuli a kněžiště jeho syn K. I. Dienzenho-

VERZEICHNIS DER ABBILDUNGEN

1. Karlsbrücke, Prager Burg und Veitskathedrale. Die Karlsbrücke ist nach ihrem Bauherrn Karl IV. benannt. Der Statuenschmuck stammt überwiegend aus der Zeit 1683-1714 /Vorderseite des Umschlags/
2. Sphäre — der Hauptteil der astronomischen Uhr.
3. Blick aus dem Turm des Altstädter Rathauses auf die Altstadt und die Burg.
4. Das Altstädter Rathaus ist ein Baukomplex, der bereits vor 1350 entstand. Der Turm wurde 1364 fertiggestellt, 1410 wurde die astronomische Uhr eingebaut.
5. Plastisches Wappenzeichen der Prager Altstadt über dem Haupteingang des Hauses Nr. 6 auf dem Altstädter Ring.
6. Storch-Haus auf dem Altstädter Ring aus dem Jahre 1897. Die figuralen Gemälde nach Kartonsvorlagen von M. Aleš führte L. Novák aus.
7. Altstädter Ring mit der Kirche der hl. Jungfrau Maria vor dem Theyn, die nach 1380 erbaut wurde. Vor der Kirche die Theynschule mit gotischem Gewölbe.
8. St. Niklaskirche auf der Kleinseite aus den Jahren 1732—35, erbaut nach dem Entwurf von K. I. Dienzenhofer.
9. Häuser der Südfront des Altstädter Rings.
10. St. Niklaskirche in der Altstadt, eine begehrte Stätte für Orgelkonzerte.
11. Rokokopalais Golz-Kinský aus den Jahren 1755—1765 und das gotische Haus Zur steinernen Glocke aus der Mitte des 14. Jh.
12. Altstädter Rathaus mit der astronomischen Uhr.
13. Vestibül des Altstädter Rathauses — M. Aleš: Huldigung des Slawentums der Stadt Prag.
14. Das Haus Zur Minute — ein gotisches Haus geschmückt mit Renaissancesgrafittos aus dem beginnenden 17. Jh.
15. Renaissancefenster des Altstädter Rathauses mit der Aufschrift Praga caput regni.

16. Kalendarium der astronomischen Uhr — Kopie des Original-gemäldes von J. Mánes aus dem Jahre 1866.

17—18. Apostel hl. Philipp und hl. Petrus.

19. Altstädter Ring (Luftaufnahme).

20. Altstädter Rathaus mit dem Torso der Oststirnseite nach dem Brand von 1945.

21. Blick aus dem Turm des Altstädter Rathauses.

22. Blick aus dem Turm des Altstädter Rathauses.

23. Erkerkapelle unter dem Turm des Altstädter Rathauses aus der Zeit vor 1381.

24. Magister-Jan-Hus-Denkmal von L. Šaloun aus dem Jahre 1915.

25. Kutschen auf dem Altstädter Ring.

26—27. Blick aus dem Turm der Theynkirche auf den Altstädter Ring.

28—29. Jakobskirche — gestiftet mit dem gleichnamigen Kloster vom böhmischen König Václav (Wenzeslaus) I. im Jahre 1232.

30. Barockbibliothek im Klementinum aus dem Jahre 1727.

31. Jugendstilbau des Gemeindehauses mit reicher malerischer und bildhauerischer Verzierung aus den Jahren 1906—1911.

32—33. Pulverturm, erbaut von M. Rejsek nach 1475. Blick aus dem Pulverturm auf die Altstadt und ihre Dominanten.

34—35. Die Straße Na příkopě (Am Graben) und der Wenzels-platz sind das pulsierende Herz der Stadt.

36—37. Der obere Teil des Wenzelsplatzes wird vom Gebäude des Nationalmuseums abgeschlossen. Vor dem Museum das Reiterstandbild des hl. Václav (Wenzeslaus) von J. V. Myslbek aus den Jahren 1912—13.

38—40. Nationalmuseum — Neurenaissancebau aus den Jahren 1885—90 mit der malerischen und bildhauerischen Aus-schmückung von namhaften tschechischen Künstlern. Der re-präsentative Treppenaufgang und das Pantheon sind die ein-drucksvollsten Räumlichkeiten im Museumsgebäude.

41—42. Palais Koruna (Krone) im unteren Teil des Wenzelsplat-zes aus den Jahren 1911—13. Blick von der Rampe des Natio-nalmuseums.

43. Denkmal des Schriftstellers Josef Jungmann auf dem Jung-mannplatz.

44. Maria Schnee Kirche ist der größte Kirchenbau Prags. Der Frühbarockaltar stammt aus den Jahren 1649—61.

45. St. Ägidiuskirche aus den Jahren 1339—71.

46. Gotischer Erker der Kapelle im Karolinum.

47. Ständetheater, erbaut von 1781—83 auf Kosten des Grafen F. A. Nostiz.

48. Betlehemskappelle, neu erbaut von 1950—54 nach alten Abbildungen, zum Teil ursprüngliches Gemäuer. Von 1402—1412 predigte hier der große tschechische Reformator Jan Hus.

49. Das Haus Zum goldenen Brunnen — Renaissancebau mit Stuckreliefs der Pestbeschützer aus dem Jahre 1701.

50—52. Der alte jüdische Friedhof aus der 1. Hälfte des 15. Jh. und die Altneue Synagoge gehören zu den kostbaren Denkmälern des ehemaligen Prager Ghettos.

53. K. Hladík: Franz Kafka. Büste des Schriftstellers jüdischer Herkunft am Haus, wo Kafka 1883 geboren wurde.

54. Bedřich-Smetana-Denkmal von J. Malejovský aus dem Jahre 1984 vor dem Smetanamuseum.

55. Villa Amerika aus den Jahren 1712—20. Heute Museum des Komponisten Antonín Dvořák.

56. Bertramka — berühmte Stätte der Prager Aufenthalte W. A. Mozarts. Im Jahre 1787 komponierte er hier die Oper Don Giovanni.

57—58- Haus der Künstler (Rudolfinum) aus den Jahren 1876—84. Es ist der Sitz der Tschechischen Philharmonie. Der Dvořáksaal zählt zu den bedeutenden Konzertsälen Prags.

59. Auch die Villa Bertramka und ihr Garten sind eine bekannte Konzertstätte.

60—62. Brücken über die Moldau, Smetanakai, Prag in der Nacht.

63. Moldauufer mit dem Nationaltheater und mit der Burg.

64. Slawische Insel mit dem Ausstellungsgebäude Mánes und mit Masarykkai.

65—66. Nationaltheater, erbaut aus freiwilligen Spenden unter dem Motto „Das Volk dem Volke" in den Jahren 1868—83 von J. Zítek und J. Schulz.

67. Blick vom Kleinseitner Brückenturm auf die St. Niklaskirche und die Burg.

THE PHOTOGRAPHS: KEY TEXTS

1. Charles Bridge, Prague Castle and St.Vitus Cathedral. Charles Bridge named after its founder Charles IV. The sculptures were added in 1683-1714 /Photograph front cover/
2. The Sphere—the main part of the clock.
3. The view from the tower of Staroměstská Radnice looking over to the Castle and Staré Město.
4. Staroměstská Radnice is a complex of buildings which came into being during the first half of the 14th. Century. The tower was finished in 1364 and around 1410 the astronomical clock was installed.
5. Staré Město relief above the portal of house No. 6. on Old Town Square, (Staroměstské Náměstí).
6. The house of Štorch, 1897, on Staroměstské Náměstí. The mural figures from a design by M. Aleš were painted by L. Novák.
7. Staroměstské Náměstí and the church of P. Marie před Týn, the construction of which began in 1380. Before it can be seen Týn School together with its arcades.
8. "Church of St. Nicholas of the Old Town" dating from the years 1732—35, built according to the design of K. I. Dienzenhofer.
9. Houses on the south side of Old Town Square.
10. The Church of St. Nicholas of the Old Town—site of frequent organ concerts.
11. The rococo style palace of Golz—Kinsky, 1755—1765, and the gothic "At the stone bell" house dating from the middle of the 14th. century.
12. The Old Town Townhall with its astronomical clock.
13. The vestibule of the Old Town Townhall, M. Alcš: "Tribute of the Slavs to Prague".
14. The "At the minute" house—the gothic period building decorated with Renaissance graphics from the beginning of the 7th. century.

43. Sculpture of the writer J. Jungmann in the square of the same name, from 1878.
44. Church of P. Marie Sněžná is the tallest church building in Prague. The early Baroque altar is dated 1649—61.
45. The church of St. Jiljí, from 1339—71.
46. The Gothic-bow window of the chapel in Karolinum.
47. "Stavovské" Theatre, built in 1781—83, and financed by Count F. A. Nostic.
48. The Bethlehem Chapel. Rebuilt in 1950—54 to follow the plans and original locations of the ruined foundations. Jan Hus preached here, 1402—12.
49. "At the Golden Well" house, a Renaissance building with stucco reliefs depicting "Protectors Against Plague" 1701.
50—52. The Old Jewish cemetery from the first half of the 15th. century. The Old—New Synagogue, from the 13th. century is one of the unique monuments of the former Prague Ghetto.
53. The bust of Franz Kafka by K. Hladík on the house where this writer of Jewish descent was born in 1883.
54. A sculpture of B. Smetana by J. Malejovsky from 1984, in front of this famous composer's museum—The Smetana Museum.
55. The Villa America, 1712—20. Today housing the A. Dvořak Museum.
56. Bertramka, made famous by the frequent visits of the composer W. A. Mozart, where he composed his opera Don Giovanni.
57. The Rudolfinum, 1876—84, home of the Czech Philharmonia.
58. The Dvořak Hall ranks as one of the most prominent of all Prague concert halls.
59. Bertramka and its garden is also used for classical music concerts.
60—62. The bridges over the Vltava, Smetana Embankment, Prague at night.
63. Vltava Embankment, with the National Theatre and Castle.
64. Slovak Island with the Mánes Building and the Masaryk Embankment.
65—65. The National Theatre built from voluntary contributions under the motto "A Nation unto Itself" in 1868—83.

LEGENDES DES PHOTOGRAPHIES

1. Le pont Charles, Château de Prague et la cathédrale Saint-Guy. Le pont doit son nom à son fondateur Charles IV. Les statues qui le décorent y furent installées entre les années 1683-1714 /Titre de la couverture/

2. Disque — élément principal de l'horloge astronomique.

3. Vue sur la place de la Vieille Ville et sur le Château de Prague depuis la tour de l'Hôtel de ville de la Vieille Ville.

4. Hôtel de ville de la Vieille Ville — complexe de constructions qu'on commença à créer déjà avant la moitié du XIVe siècle. Sa tour fut achevée en 1364 et l'horloge astronomique y fut installée vers l'année 1410.

5. Armoiries plastiques de la Vieille Ville au-dessus du portique de la maison No.6 située sur la place de la Vieille Ville.

6. Maison Štorch construite sur la place de la Vieille Ville en 1897. Les peintures figuratives furent réalisées suivant les cartons de Mikuláš par L. Novák.

7. Place de la Vieille Ville avec Notre-Dame de Týn construite à partir de l'année 1380. Devant elle se trouve l'école de Týn avec une arcade gothique.

8. Eglise Saint-Nicolas construite en 1732-35 dans la Vieille Ville suivant un projet de K. I. Dienzenhofer.

9. Maisons situées au sud de la place de la Vieille Ville.

10. Eglise Saint-Nicolas dans la Vieille Ville où on organise des concerts d'orgues.

11. Palais Golz-Kinský construit en style rococo de 1755 à 1765 et maison gothique U kamenného zvonu datant de la moitié du XIVe siècle.

12. Hôtel de ville de la Vieille Ville avec son horloge astronomique.

13. Vestibule de l'Hôtel de ville de la Vieille Ville — peinture de M. Aleš : Hommage rendu par les Slaves à la ville de Prague.

14. Maison gothique U minuty (A la minute) ornée de sgraffites Renaissance construite au début du XVIIe siècle.

15. Fenêtre Renaissance de l'Hôtel de ville de la Vieille Ville avec l'inscription « Praga caput regni ».
16. Le calendrier faisaint partie de l'horloge astronomique est une reproduction de l'original de J. Mánes créée en 1866.
17.—18. Les apôtres de l'horloge astronomique — saint Philippe et saint Pierre.
19. La place de la Vieille Ville (photographie aérienne).
20. La place de la Vieille Ville avec les restes de la façade ravagée par un incendie en 1945.
21.—22. Vue sur la ville depuis la tour de l'Hôtel de ville de la Vieille Ville.
23. La chapelle à encorbellement située au-dessous de la tour de l'Hôtel de ville de la Vieille Ville fut construite avant l'année 1381.
24. Le monument de Jan Hus créé par le sculpteur L. Šaloun en 1915.
25. Les calèches stationnant sur la place de la Vieille Ville.
26.—27. La place de la Vieille Ville vue depuis la tour de Notre-Dame de Týn.
28.—29. L'église de Saint-Jacques fondée ensemble avec son cloître par le roi de Bohême Venceslas Ier en 1232.
30. La bibliothèque baroque installée au Clementinum en 1727.
31. La maison municipale construite de 1906 à 1911 en style de L'Art nouveau et ornée richement de peintures et de sculptures.
32.—33. La Tour poudrière construite par M. Rejsek après l'année 1475. Vue depuis la tour sur la Vieille Ville et ses dominantes.
34.—35. La rue Na příkopě et la place Venceslas forment le centre le plus animé de la ville.
36.—37. La partie supérieure de la place Venceslas est dominée par le Musée national. Devant lui fut érigée en 1912 et 1913 la statue équestre de saint Venceslas par J. V. Myslbek.
38.—40. Le Musée national — construction Néo-renaissance des années 1885 à 1890 ornée de peintures et de sculptures d'artistes pour la plupart tchèques. L'escalier représentatif et le Panthéon sont les parties les plus attrayantes du bâtiment.
41.—42. Le palais Koruna construit de 1911 à 1913 au bas de la place Venceslas. Vue depuis la rampe du Musée National.

43. La statue de l'écrivain J. Jungmann installée en 1878 sur la place portant son nom.

44. Notre-Dame des Neiges — construction religieuse la plus haute de Prague ; autel du baroque primitif créé de 1649 à 1661.

45. L'église Saint-Gilles construite de 1339 à 1371.

46. L'encorbellement gothique de la chapelle du Carolinum.

47. Le théâtre des états construit de 1781 à 1783 aux frais du comte F. A. Nostic.

48. La chapelle de Bethléem reconstruite de 1950 à 1954 suivant les anciens plans et les vestiges de la maçonnerie primitive.

49. La maison U zlaté studně (au Puits d'or) — construction Renaissance de l'année 1701 avec reliefs en stuc représentant les lutteurs contre la peste.

50.—52. Le vieux cimetière juif datant de la première moitié du XVᵉ siècle et la Synagogue Vieille-Nouvelle du XIIIᵉ siècle se rangent parmi les rares vestiges de l'ancien ghetto de Prague.

53. Le buste de Franz Kafka du sculpteur K. Hladík sur un mur de la maison où cet écrivain d'origine juive nacquit en 1883.

54. La statue de B. Smetana créée en 1984 par J. Malejovský et installée devant le musée de ce compositeur.

55. La villa Amerika construite de 1712 à 1720. Actuellement on y trouve le musée du compositeur Antonín Dvořák.

56. La villa Bertramka connue comme lieu de séjours multiples à Prague de W. A. Mozart qui y composa en 1787 son opéra Don Giovanni.

57.—58. La Maison des artistes (Rudolfinum) construite de 1876 à 1884. De nos jours elle est le siège de la Philharmonie tchèque. La salle Dvořák se range parmi les salles de concert importantes de Prague.

59. La villa Bertramka et son jardin sont utilisés de nos jours à l'organisation de concerts de musique classique.

60.—62. Les ponts franchissant la Vltava, le quai Smetana et Prague nocturne.

63. Le quai de la Vltava, le Théâtre national et le Château de Prague.

64. L'île Slovanský ostrov, la maison Mánes et le quai Masaryk.

65.—66. Le Théâtre national construit grâce à des collectes bénévoles sous la devise « La nation à elle même » de 1868 à 1883 par J. Zítek et J. Schulz.

67. Vue sur l'église Saint-Nicolas et le Château de Prague depuis la tour de pont de Malá Strana.

68. Vue aérienne sur la Vltava et le pont Charles.

69. Le pont Charles doit son nom à son fondateur, Charles IV. Il fut construit en 1357 par Petr Parléř. Les statues qui le décorent y furent installées surtout entre les années 1683 et 1714.

70. L'église Saint François Séraphin et la statue de Charles IV.

71.—72. La tour de la Vieille Ville du pont Charles et un détail de son décor avec les sculptures de Charles IV, Venceslas IV et le patron du pont, saint Guy.

73. La statue de saint Philippe sur le pont Charles.

74.—76. Le pont Charles et le Château — détail du groupe de sculptures représentant le Calvaire et ornant le pont Charles vu depuis la tour du pont située à Malá Strana.

77. Vue sur le Château de Prague, le quartier Malá Strana et le pont Charles depuis la tour de pont de la Vieille Ville.

78.—79. Le lever du soleil au-dessus de la Vieille Ville.

80. Le pont Charles et la cathédrale Saint-Guy solennellement éclairés.

81. La tombée de la nuit sur la Vltava.

82. Le Château de Prague et le quartier de Malá Strana vues depuis le jardin Vrtba.

83.—84. L'église Saint-Nicolas fut construite de 1704 à 1711 par K. Dienzenhofer et sa coupole et le chœur par son fils K. I. Dienzenhofer de 1712 à 1752. Cette église se range parmi les chefs-d'œuvre de l'architecture baroque tchèque.

85.—87. Le palais Wallenstein fut construit sur l'ordre d'Albrecht von Wallenstein pour ses propres besoins après l'année 1624. La Salle des Chevaliers construite en 1625 à 1630 traverse deux étages de l'aile principale et la Salle de Cuir attenante fut décorée en 1866 par des plafonds de F. Maixner.

88. Le palais Wallenstein (photographie aérienne).

89.—90. Le jardin du palais Wallenstein avec sa salla terrena et son petit lac.

91. Le Palais Kolowrat situé dans la rue Walllenstein.

92.—93. Les enseignes U tří housliček (aux Trois petits violons) et

U zlaté číše (à la Coupe d'or) sur les maisons de la rue Neru-
dova dans le quartier Malá Strana.

94. Photographie aérienne du siège de la Présidence du gouver-
nement et de la villa de Kramář.

95. Photographie aérienne de l'aire du Château de Prague.

96. La façade ouest du Château de Prague vue depuis la place de
Hradčany. Le palais néo-classiciste de l'architecte N. Pacassi
fut construit de 1753 à 1773.

97. La porte d'accès à la première cour du Château avec des
sculptures représentant la lutte de géants.

98. Le palais archiépiscopal avec sa façade rococo date de la se-
conde moitié du XVIIIᵉ siècle.

99. La cathédrale Saint-Guy construite sur la troisième cour du
Château de 1344 à 1929.

100. La façade principale de la cathédrale Saint-Guy achevée en
1929. Hauteur des tours : 82 mètres.

101. L'intérieur de la cathédrale Saint-Guy.

102. La chapelle Saint-Venceslas de la cathédrale construite de
1362 à 1367 — chef-d'œuvre du style gothique tchèque.

103. Vitrail réalisé suivant un projet de K. Svolinský en 1932 et
1933.

104. La Salle Venceslas aménagée dans le Vieux palais du Château
de 1486 à 1502.

105. Les signes des clercs chargés des cadastres.

106. La basilique Saint-Georges vue depuis la tour de la cathé-
drale Saint-Guy.

107. La statue de saint-Georges installée en 1373 dans la troisième
cour du Château.

108. La façade baroque de la basilique romane Saint-Georges fon-
dée au Xᵉ siècle.

109. Le Maître Théodoric : saint Pape (seconde moitié du XIVᵉ
siècle) — Galerie nationale.

110. Le Maître de Třeboň : Jésus sur le mont des Oliviers (Tableau
créé vers l'année 1380) — Galerie nationale.

111. P. Brandl (1668—1735) : l'apôtre Paul (Galerie du Château de
Prague).

112. Titien (1488/90—1576) : Toilette d'une jeune femme (galerie
du Château de Prague).

113. Ruelle d'or avec les petites maisons des tireurs du Château et des batteurs d'or provenant du XVIe siècle.
114. Vue sur l'église Saint-Nicolas et sur la ville depuis la rampe du Château.
115. Le pavillon Hanavský construit en 1891 sur la plaine de Letná abrite un restaurant à vue panoramique.
116. La Vltava et le Château de Prague.
117.—118. Le Belvédère royal construit en style Renaissance de 1538 à 1863. Devant lui se trouve une fontaine chantante.
119. Le Château de Prague avec le Fossé des cerfs (photographie aérienne).
120.—121. La grande salle du jeu de paume construite dans le Jardin royal en 1567—69.
122. Le jardin Kolowrat aménagé au-dessous du Château de 1769 à 1789.
123. Le jardin Hartig avec un kiosque à musique.
124. La Tour noire faisant partie des fortifications du Château déjà au XIIe siècle.
125. Le palais Martinic sur la place de Hradčany. Aspect actuel après sa reconstruction en 1634.
126. Le palais Černín — construction baroque la plus haute à Prague.
127. La façade de Notre-Dame de Lorette (1720—1722) avec son carillon installé dans la tour à horloge.
128. L'aire du monastère des Prémontrés à Strahov (photographie aérienne).
129. L'église de l'Assomption de la Sainte Vierge située à Strahov.
130. La Salle philosophique de la Bibliothèque de Strahov créée en 1782—1784.
131. La Salle théologique de la Bibliothèque de Strahov créée de 1671 à 1679.
132. Le monastère Na Slovanech (Emauzy) fondé par Charles IV en 1347.
133. Vltava et Vyšehrad.
134.—136. Vyšehrad, ancienne résidence des princes tchèques mythologiques, avec la rotonde romane Saint-Martin construite dans la seconde moitié du XIe siècle et conservée jusqu'à nos jours.
137.—138. Le parc des expositions de Prague avec les construc-

TESTI RIGUARDANTI LE FOTOGRAFIE:

1. Ponte Carlo, Castello di Praga e la cattedrale di San Vito. Il Ponte Carlo fu denominato secondo il proprio fondatore Carlo IV. /titolo/
2. La sfera — parte principale dell'orologio.
3. La veduta dalla torre del Municipio della Città Vecchia verso la Città Vecchia e il Castello.
4. Il Municipio della Città Vecchia è un complesso di edifici risalenti già alla prima metà del XIV secolo. La torre fu costruita prima del 1364, attorno al 1410 fu inserito l'orologio.
5. Emblema plastico della Città Vecchia sul portale della casa al num. 6 della Piazza della Città Vecchia.
6. La Casa Štorch in Piazza della Città Vecchia del 1897. Le pitture figurative secondo i cartoni di M. Aleš eseguite da L. Novák.
7. Piazza della Città Vecchia con la chiesa della Vergine Maria davanti al Týn costruita dopo il 1380. Davanti ad essa si trova la Scuola di Týn con un porticato gotico.
8. La chiesa di San Nicola nella Città Vecchia degli anni 1732—35, secondo il progetto di K. I. Dienzenhofer.
9. Case al lato sud della Piazza della Città Vecchia.
10. La chiesa di San Nicola nella Città Vecchia, luogo di concerti ad organo.
11. Il palazzo rococò Golz-Kinský degli anni 1755—1765 e la casa gotica Alla Campana di pietra della metà del XIV secolo.
12. Il Municipio della Città Vecchia con l'orologio.
13. Il vestibolo del Municipio della Città Vecchia — M. Aleš: L'omaggio del mondo Slavo alla città di Praga.
14. Casa Al minuto — edificio gotico con sgraffiti rinascimentali dell'inizio del XVII secolo.
15. La finestra rinascimentale del Municipio della Città Vecchia con la scritta Praga caput regni.
16. La tavola del calendario sull'orologio è la copia dell'originale di J. Mánes dell'anno 1866.
17—18. Gli Apostoli ss. Filippo e Pietro dell'orologio.
19. Piazza della Città Vecchia (veduta aerea).

20. Il Municipio della Città Vecchia con il torso della facciata est dopo l'incendio avvenuto nel 1945.

21—22. Veduta dalla torre del Municipio della Città Vecchia.

23. Cappella con il balcone chiuso sotto la torre del Municipio della Città Vecchia risalente al periodo precedente l'anno 1381.

24. Il monumento eretto in onore di Jan Hus per opera dello scultore L. Šaloun dell'anno 1915.

25. Le carrozze in Piazza della Città Vecchia.

26—27. Piazza della Città Vecchia vista dalla torre della chiesa del Týn.

28—29. La chiesa di San Giacomo fondata assieme al convento adiacente da Venceslao I nell'anno 1232.

30. Biblioteca barocca del Klementinum dell'anno 1727.

31. Edificio in stile liberty della Casa comunale con le decorazioni pittoree e scultoree degli anni 1906—11.

32—33. Torre delle polveri costruita da M. Rejsek dopo il 1475. Una veduta dalla torre sulla Città Vecchia e sulle sue dominanti.

34—35. La Via Na příkopě e la Piazza Venceslao sono posti più frequentati della città.

36—37. La parte superiore della Piazza Venceslao che si chiude con l'edificio del Museo Nazionale. Di fronte si trova la statua equestre di San Venceslao di J. V. Myslbek degli anni 1912—13.

38—40. Il Museo Nazionale — edificio neorinascimentale degli anni 1885—90 con le decorazioni pittoree e scultoree dei principali artisti cechi. La scalinata di rappresentanza e il Pantheon costituiscono ambienti più attraenti dell'edificio.

41—42. Palazzo Koruna nella parte inferiore della Piazza Venceslao risalente agli anni 1911—13. La veduta dalla rampa del Museo Nazionale.

43. La statua dello scrittore J. Jungmann situata nella piazza omonima dell'anno 1878.

44. La chiesa della Vergine Maria delle Nevi è la più alta costruzione chiesastica di Praga.

L'altare del primo barocco è degli anni 1649—61.

45. La chiesa di Sant'Egidio degli anni 1339—71.

46. Il balcone chiuso gotico della Cappella del Karolinum.

47. Il Teatro degli Stati costruito negli anni 1781—83 a spese del conte F. A. Nostic.

48. La Cappella Betlémská ricostruita negli anni 1950—54 in base

alle pitture di una volta, con la parte della muratura originaria. Tra il 1402 e il 1412 qui aveva predicato Jan Hus.

49. La casa Al pozzo d'oro — costruzione rinascimentale con rilievi a stucco raffiguranti i protettori di fronte alla peste dell'anno 1701.

50 — 52. Il Vecchio cimitero ebraico della prima metà del XV secolo e la Sinagoga Vecchia-Nuova del XIII secolo figurano tra i monumenti rari dell'ex ghetto di Praga.

53. Il busto di Franz Kafka di K. Hladík sull'edificio, in cui nel 1883 nacque questo scrittore di origini ebraiche.

54. La statua di B. Smetana di J. Malejovský del 1984, davanti al museo dedicato a questo compositore di musica.

55. Vila Amerika degli anni 1712 — 20. Oggi Museo dedicato al compositore di musica Antonín Dvořák.

56. Bertramka, nota per i suoi soggiorni di W. A. Mozart. Nel 1787 qui compose l'opera Don Giovanni.

57 — 58. Casa degli artisti (Rudolfinum) degli anni 1876 — 84, sede della Filarmonica Ceca. La Sala Dvořák rientra tra le sale di maggiore importanza di natura concertistica.

59. Anche Bertramka e il suo giardino sono luoghi in cui si svolgono i concerti di musica classica.

60 — 62. I ponti sulla Moldava, il Lungofiume Smetana, Praga notturna.

63. Il lungofiume della Moldava con il Teatro Nazionale e con il Castello.

64. L'isola Slovanský ostrov con l'edificio Mánes e con il Lungofiume Masaryk.

65 — 66. Il Teatro Nazionale fu eretto in base alle raccolte volontarie sotto il motto: «Nazione a se stessa», negli anni 1868 — 83 dagli architetti J. Zítek e J. Schulz.

67. La veduta dalla torre del ponte di Malá Strana sulla chiesa di San Nicola e sul Castello.

68. Veduta aerea sulla Moldava e sul Ponte Carlo.

69. Il Ponte Carlo fu denominato secondo il proprio fondatore Carlo IV. Questo avvenne nel 1357 e la costruzione fu affidata a Petr Parléř. Le statue che si trovano sul ponte risalgono in prevalenza agli anni dal 1683 al 1714.

70. La chiesa di San Francesco Serafico e la statua di Carlo IV.

71 — 72. La torre del ponte a Malá Strana e un dettaglio della deco-

razione con le statue dei sovrani Carlo IV e Venceslao IV, nonché del patrono del ponte San Vito.

73. La statua di San Filippo Benicio del Ponte Carlo.

74—76. Il Ponte Carlo e il Castello, un dettaglio del gruppo di statue raffigurante il Calvario del Ponte Carlo nonché la veduta della torre del ponte dalla parte di Malá Strana.

77. Il panorama del Castello, della Malá Strana e del Ponte Carlo visto dalla torre del ponte di Malá Strana.

78—79. La levata del sole sopra la Città Vecchia.

80. Il Ponte Carlo e la cattedrale di San Vito durante l'illuminazione solenne.

81. Il crepuscolo sulla Moldava.

82. Il Castello e il quartiere di Malá Strana visti dai giardini Vrtbovské zahrady.

83—84. Negli anni 1704—11 l'architetto K. Dienzenhofer costruì la chiesa di San Nicola a Malá Strana, la cupola e il presbiterio furono costruiti dal suo figlio K. I. Dienzenhofer negli anni 1732—52. La chiesa appartiene agli apici dell'architettura barocca in Boemia.

85—87. Palazzo Valdštejn costruito dopo il 1624 da Albrecht di Valdštejn. La Sala dei Cavalieri degli anni 1625—30 penetra due piani dell'ala centrale, la Sala di Cuoio attigua fu abbellita con una pittura del soffitto nel 1866 da P. Maixner.

88. Palazzo Valdštejn (veduta aerea).

89—90. Il giardino del Palazzo Valdštejn con la Sala terrena e con il laghetto.

91. Il Palazzo Kolowrat della via Valdštejnská ulice.

92—93. Le insegne della case Ai tre violini e Alla coppa d'oro in via Nerudova a Malá Strana.

94. La veduta aerea dell'area comprendente la Presidenza del governo e la Villa Kramář.

95. Veduta aerea sull'area del Castello di Praga.

96. La facciata ovest del Castello vista dalla Piazza Hradčanské náměstí. Il palazzo neoclassicistico dell'architetto N. Pacassi sorse tra gli anni 1753—1773.

97. La porta d'ingresso nel primo cortile del Castello con le statue dei Giganti in lotta.

98. Il Palazzo arcivescovile con la facciata rococò della seconda metà del XVIII secolo.

99. La cattedrale di San Vito nel terzo cortile del Castello risalente agli anni 1344—1929.

100. La facciata principale della cattedrale di San Vito la cui costruzione fu completata nel 1929. L'altezza delle torri è di 82 metri.

101. L'interno della cattedrale di San Vito.

102. La Cappella di San Venceslao degli anni 1362—67, opera culminante del periodo gotico ceco.

103. La vetrata colorata secondo il progetto di K. Svolinský degli anni 1932—33.

104. Salone di Vladislao degli anni 1486—1502 che si trova nel Vecchio palazzo del Castello.

105. Le insegne degli alti funzionari delle Tavole del Paese dei secoli XVI—XVIII.

106. Basilica di San Giorgio vista dalla torre della cattedrale di San Vito.

107. La statua di San Giorgio dell'anno 1373 che si trova nel terzo cortile del Castello.

108. La facciata barocca della basilica di San Giorgio, fondata nel X. secolo.

109. Maestro Teodorico: San Papa (seconda metà del XIV secolo), Galleria Nazionale.

110. Maestro di Třeboň: Cristo sul Monte degli Ulivi (attorno al 1380), Galleria Nazionale.

111. P. Brandl (1668—1735): Apostolo Paolo (Pinacoteca del Castello di Praga).

112. Tiziano (1488/90—1576): Toilette della giovane donna (Pinacoteca del Castello di Praga).

113. Vicolo dell'oro con le casupole dei fucilieri del Castello e degli orefici del XVI secolo.

114. Veduta della rampa del Castello della chiesa di San Nicola e della città.

115. Padiglione Hanavský dell'anno 1891 a Letná è utilizzato come un ristorante.

116. Moldava e Castello di Praga.

117—118. Belvedere reale, costruzione rinascimentale degli anni 1538—63. Davanti ad esso si trova la cosiddetta Fontana cantante.

119. Castello di Praga con il Fossato dei Cervi (veduta aerea).

DESCRIPCIÓN DE LAS FOTOGRAFÍAS

1. El Puente de Carlos, Castllo de Praga y Catedral de San Vito. El Puente de Carlos lleva el nombre de su fundador, el rey Carlos IV. /portada/

2. La esfera — parte principal del reloj.

3. Vista panorámica de la Ciudad Vieja y el Castillo de Praga desde la torre del Ayuntamiento de la Ciudad Vieja.

4. El Ayuntamiento de la Ciudad Vieja es un conjunto de edificios, cuya construcción se inició en la primera mitad del siglo. XIV. La torre fue terminada en el año 1364. Hacia el año 1410 se incorporó el reloj.

5. Emblema plástico de la Ciudad Vieja sobre el portal de la casa No. 6 en la Plaza de la Ciudad Vieja.

6. La casa de Štorch en la Plaza de la Ciudad Vieja data del año 1897. La decoración figural, fue realizada por L. Novák, según diseños del pintor M. Aleš.

7. La Plaza de la Ciudad Vieja con la Iglesia de Nuestra Señora de Týn, cuya construcción se inició en el año 1380. Delante de la misma la Escuela de Týn y las arcadas góticas.

8. La Iglesia de San Nicolás en la Ciudad Vieja, diseñada por el arquitecto K. I. Dienzenhofer, fue construida entre 1732 y 1735.

9. Casas en la parte sur de la Plaza de la Ciudad Vieja.

10. La Iglesia de San Nicolás en la Ciudad Vieja donde se ofrecen conciertos de órgano.

11. El palacio rococo Golz-Kinsky construido entre 1755 y 1765 y la casa gótica La Campana de Piedra de mediados del siglo XIV.

12. El Ayuntamiento de la Ciudad Vieja con el reloj.

13. Entrada al Ayuntamiento de la Ciudad Vieja — M. Aleš: Homenaje de los eslavos a la ciudad de Praga.

14. La Casa del Minuto — edificio gótico decorado con esgrafiados renacentistas de comienzos del siglo XVII.

15. Ventana renacentista del Ayuntamiento de la Ciudad Vieja con la inscripción "Praga caput regni".

16. La esfera con el calendario del reloj es copia del original realizado en 1866 por el pintor J. Mánes.

17–18. Los apóstoles san Felipe y san Pedro.

19. Vista aérea de la Plaza de la Ciudad Vieja.

20. El Ayuntamiento de la Ciudad Vieja con un resto del muro en la parte oriental destruido durante el incendio de 1945.

21–22. Vista desde la torre del Ayuntamiento de la Ciudad Vieja.

23. Capilla salediza debajo de la torre del Ayuntamiento de la Ciudad Vieja, construida antes del año 1381.

24. Monumento al maestro Jan Hus de 1915, obra del escultor L. Šaloun.

25. Carruajes en la Plaza de la Ciudad Vieja.

26–27. Vista de la Plaza de la Ciudad Vieja desde la torre de la Iglesia de Nuestra Señora de Týn.

28–29. La Iglesia de San Jaime y el monasterio de Venceslao I fueron fundados en 1232.

30. La biblioteca barroca de 1727 en el Clementinum.

31. El edificio de estilo modernista de la Casa Comunal con profusa decoración pictórica y escultórica de los años 1906–1911.

32–33. La Puerta de la Pólvora, obra de M. Rejsek, construida después del año 1475. Vista panorámica de la Ciudad Vieja y sus puntos dominantes desde la torre de la Puerta de la Pólvora.

34–35. La calle Na příkopě y la Plaza Venceslao — centro animado de la ciudad.

36–37. El Museo Nacional cierra la parte superior de la Plaza Venceslao. Delante se halla la estatua equestre de San Venceslao, obra del escultor J. V. Myslbek de los años 1912–1913.

38–40. El Museo Nacional — edificio neorrenâcentista de 1885–1890 con decoración pictórica y escultórica principalmente de artistas checos. La escalinata espectacular y el Panteón constituyen el espacio más impresionante del edificio.

41–42. El palacio Koruna en la parte inferior de la Plaza Venceslao de los años 1911–1913. Vista desde la rampa del Museo Nacional.

43. Escultura del escritor J. Jungman del año 1878 en la plaza del mismo nombre.

44. La Iglesia de Nuestra Señora de las Nieves es el edificio eclesiástico más alto de Praga. El altar de estilo barroco temprano data de los años 1649—1661.
45. La Iglesia de San Gil de los años 1339—1371.
46. Salidizo gótico de la capilla del Carolinum.
47. El Teatro de los Estados construido en los años 1781—1883 por el conde F. A. Nostic.
48. La Capilla de Belén reconstruida en los años 1950—1954, según viejos diseños y partes de los muros originales, donde J. Hus predicaba en los años 1402—1412.
49. La casa de la Fuente de Oro — edificio renacentista con relieves estucados de los patronos de la peste construida en el año 1701.
50—52. El Viejo Cementerio Judío de la mitad del siglo XV y la Vieja Nueva Sinagoga del siglo XIII constituyen valiosísimos monumentos del antiguo gueto de Praga.
53. El busto de Franz Kafka, obra de K. Hladík, en la casa donde el escritor de origen judío nació en el año 1883.
54. La escultura de B. Smetana, obra de J. Malejovský de 1984, delante del museo del compositor.
55. La villa América construida en los años 1712—1720 es el museo del compositor Antonín Dvořák.
56. La villa Bertramka, conocida por ser la residencia de W. A. Mozart durante sus visitas a Praga, donde compuso la ópera Don Giovanni en el año 1787.
57—58. La Casa de los Artistas (Rudolfinum) construida en los años 1876—1884, sede de la Filarmónica Checa. La Sala de Dvořák es una de las salas de concierto más importantes de Praga.
59. En la villa Bertramka y en sus jardines se ofrecen conciertos de música clásica.
60—62. Los puentes sobre el río Moldava, el muelle de Smetana, vista nocturna de Praga.
63. El muelle del Moldava con el Teatro Nacional y el Castillo.
64. La isla Slovanský y el edificio de Mánes.
65—66. El Teatro Nacional construido gracias a las donaciones recaudadas bajo el lema de "La nación por sí" en los años 1868—1883 es obra de los arquitectos J. Zítek y J. Schulz.
67. Vista de la Iglesia de San Nicolás y del Castillo desde la Torre

del Puente en la Ciudad Vieja.

68. Vista aérea del río Moldava con el Puente de Carlos.

69. El Puente de Carlos lleva el nombre de su fundador, el rey Carlos IV. En el año 1357 se confió la construcción a Petr Parléř. En los años 1683—1714 fue decorado con esculturas.

70. La Iglesia de San Francisco Seráfico y el monumento a Carlos IV.

71—72. La Torre del Puente en la Ciudad Vieja con el detalle de la decoración que representa las figuras de los soberanos Carlos IV y Venceslao IV y San Vito, patrono del puente.

73. Estatua de San Felipe Benito en el Puente de Carlos.

74—76. El Puente de Carlos y el Castillo, detalle del grupo escultórico el Calvario y vista desde la Torre del Puente en Malá Strana.

77. Vista panorámica del Castillo, Malá Strana y el Puente de Carlos desde la Torre del Puente en la Ciudad Vieja.

78—79. Salida del sol sobre la Ciudad Vieja.

80. El Puente de Carlos y la Catedral de San Vito solemnemente iluminados.

81. Anochecer sobre el río Moldava.

82. El Castillo y Malá Strana desde el jardín de Vrtba.

83—84. K. Dienzenhofer construyó la Iglesia de San Nicolás en Malá Strana en los años 1704—1711. Su hijo construyó la cúpula y el presbiterio en los años 1732—1752. La iglesia es una de las cumbres de la arquitectura barroca.

85—87. Albrecht de Wallenstein hizo construir el palacio que lleva su nombre en el año 1624. La Sala de los Caballeros de los años 1625—1630 ocupa dos plantas del ala principal del palacio y el techo de la adyacente Sala de Cuero fue decorado por el pintor P. Maixner en el año 1866.

88. El palacio de Wallenstein (vista aérea).

89 90. El jardín del palacio de Wallenstein con la sala terrena y el estanque.

91. El palacio de Kolowrat en la calle Valdštejnská.

92—93. Insignias de las casas "Los tres violines" y „La copa de oro“ en la calle Nerudova en Malá Strana.

94. Vista aérea de la sede de la Presidencia del Gobierno y la villa de Kramář.

95. Vista aérea del Castillo de Praga.

115. El pabellón de Hanau del año 1891 en la esplanada de Letná sirve de restaurante panorámico.

116. El río Moldava y el Castillo de Praga.

117—118. El palacete real —Belvedere— edificio renacentista de los años 1538—1563. Delante se halla la Fuente Cantante.

119. El Castillo de Praga con el Foso de los Ciervos (vista aérea).

120—121. El gran Pabellón de la Pelota en el Jardín Real fue construido en los años 1567—1569.

122. El jardín de Kolowrat debajo del Castillo de los años 1769—1789.

123. El jardín de Hartig con el pabellón musical.

124. La Torre Negra formaba parte de las fortificaciones del Castillo desde el siglo XII.

125. El palacio de Martinic en la Plaza de Hradčany. Su aspecto actual se debe a la reconstrucción de 1634.

126. El palacio de Černín es el mayor edificio barroco en Praga.

127. Fachada de la Iglesia de Nuestra Señora de Loreto (1720—1722) con el carillón en la torre del reloj.

128. Recinto del Convento de los Premonstratenses en Strahov (vista aérea).

129. Iglesia de la Asunción en Strahov.

130. La sala de la filosofía en la biblioteca de Strahov fue fundada en los años 1782—1784.

131. La sala de la teología en la biblioteca de Strahov data de los años 1671—1679.

132. El Monasterio de Emaús fundado por Carlos IV en el año 1347.

133. El Moldava con el castillo de Vyšehrad.

134—136. Vyšehrad — residencia de los legendarios príncipes checos con la rotonda románica de San Martín de la segunda mitad de siglo XI.

137—138. El recinto de las Exposiciones de Praga con edificios del año 1891 y la reconstruida Fuente de Křižík.

139. El palacete Hvězda (Estrella) construido en los años 1555—1556 alberga hoy el museo del escritor A. Jirásek y del pintor M. Aleš.

140. La Iglesia de Nuestra Señora de la Montaña Blanca de comienzos del siglo XVIII.